© 袁晓峰 姚佳 2021

图书在版编目（CIP）数据

外星人来了 / 袁晓峰文；姚佳图 . — 大连：大连
出版社 , 2021.1
（大白鲸原创图画书优秀作品）
ISBN 978-7-5505-1645-8

Ⅰ . ①外… Ⅱ . ①袁… ②姚… Ⅲ . ①儿童故事—图
画故事—中国—当代 Ⅳ . ① I287.8

中国版本图书馆 CIP 数据核字（2020）第 271668 号

外星人来了
WAIXINGREN LAILE

出 版 人：刘明辉	封面设计：刘 星
策划编辑：刘明辉 李希军	责任校对：刘丽君
责任编辑：李希军 金 琦	责任印制：刘正兴

出版发行者：大连出版社
　　　地　址：大连市高新园区亿阳路 6 号三丰大厦 A 座 18 层
　　　邮　编：116023
　　　电　话：0411-83620941
　　　传　真：0411-83610391
　　　网　址：http://www.dbjsj.com
　　　　　　　http://www.dlmpm.com
　　　邮　箱：36441827@qq.com
印 刷 者：上海当纳利印刷有限公司
经 销 者：各地新华书店

幅面尺寸：210mm×255mm
印　　张：2
字　　数：25 千字
出版时间：2021 年 1 月第 1 版
印刷时间：2021 年 1 月第 1 次印刷
书　　号：ISBN 978-7-5505-1645-8
定　　价：48.00 元

大白鲸原创图画书优秀作品

外星人来了

袁晓峰 / 文　姚　佳 / 图

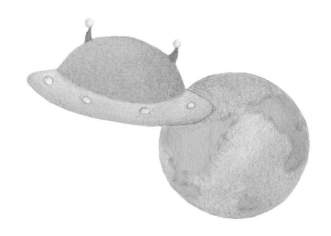

大连出版社
DALIAN PUBLISHING HOUSE

外星人来了！

外星人来了！
外星人来了！
……

怎么办？怎么办？

怎么办？

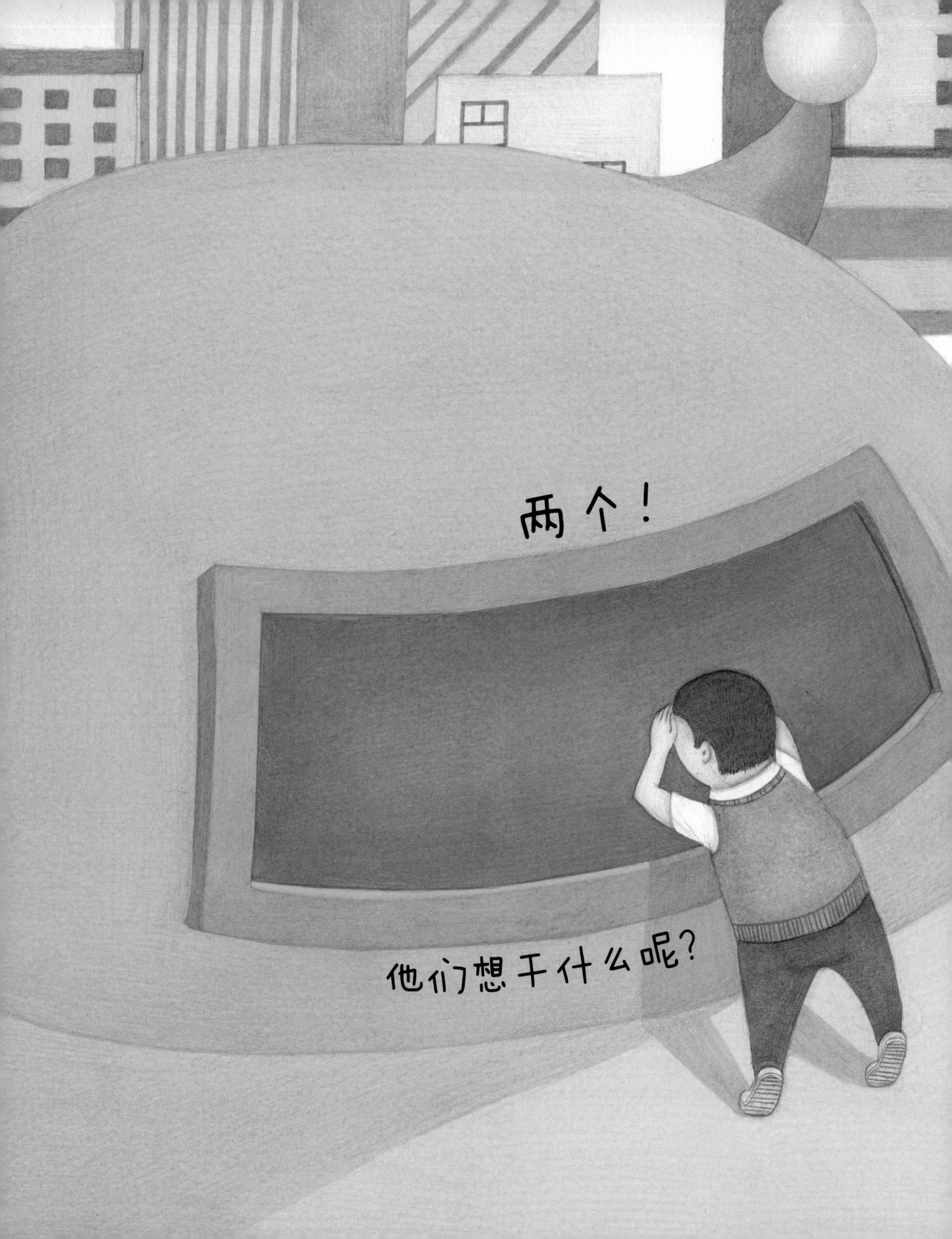
两个！
他们想干什么呢？

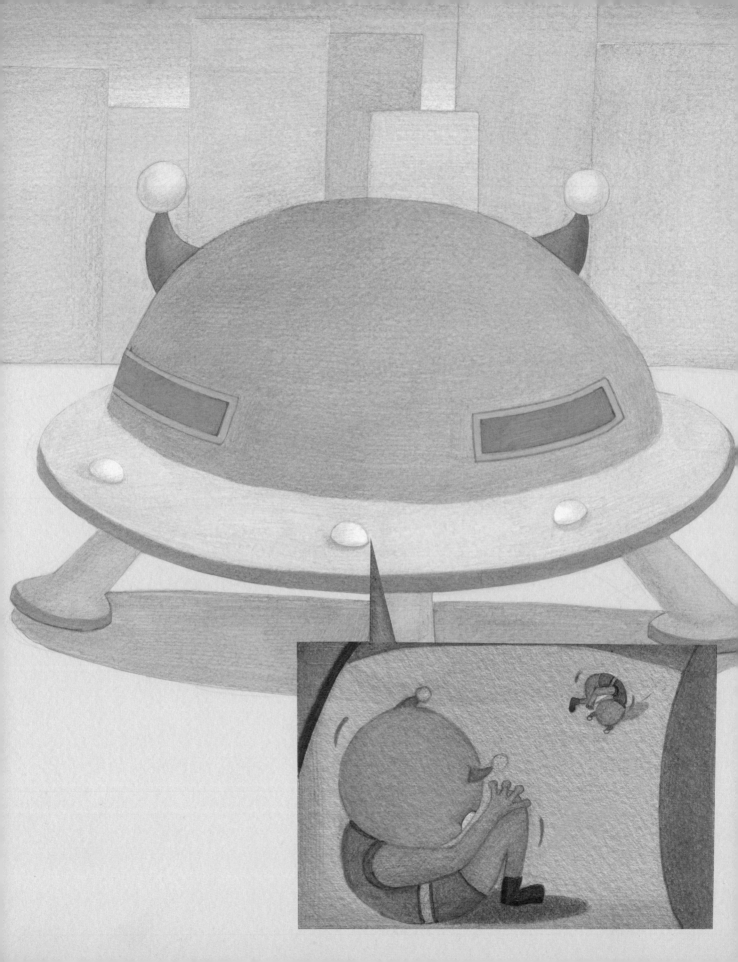

先左脚，再右脚！
先左脚，再右脚！
先左脚，再右脚！
……

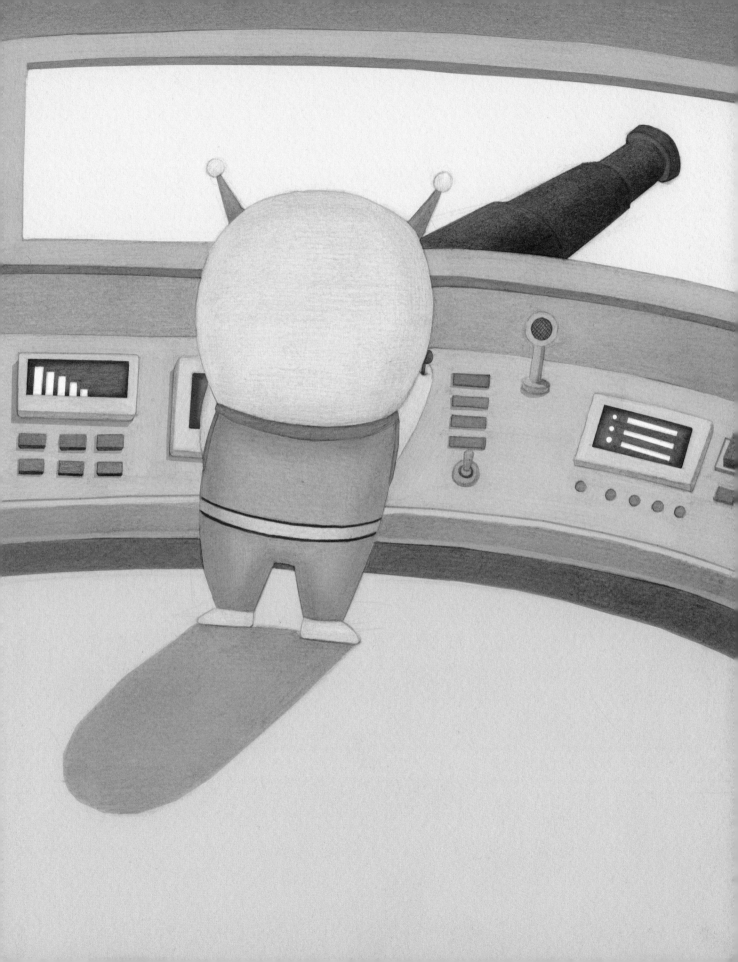

新闻时间　　　　外星人来了

外星人第一次造访地球，受到了地球各界的热烈欢迎……